COLLECTION SPORT PASSION

J'AIME
LE FOOTBALL AMERICAIN

George Eddy
Guillaume Rebière

I.S.B.N. 2 7404 0221 X
© MANGO/ÉDITIONS DU SPORT
5, rue Gît-le-Cœur - 75006 PARIS
Tél. (1) 46 34 52 52

Dépôt légal novembre 1992

Oh la la ! moi aussi j'aime (à la folie) le foot U.S.

Les pros, les universitaires, les Français et les Gladiators de l'Arena Football sont mes héros.

Quelle chance pour moi d'avoir été, depuis 1985, la voix de ce sport sur Canal + avec Philippe Chatenay. J'ai eu le plaisir de commenter le Super-Bowl à cinq reprises.

Chaque fois, une fabuleuse semaine de fête précède l'évènement sportif de l'année. Le Super-Bowl, la finale du Foot U.S. pro. Vous aussi, vous pouvez découvrir chaque année les stars de l'Arena Football en live à Bercy. Ne les manquez pas !!!

Avec ce livre, j'espère vous permettre d'approfondir vos connaissances de base sur ce sport. Depuis 1985, le nombre des pratiquants s'est multiplié par dix, et ce n'est qu'un début...

Vous apprendrez que ce sport est né d'un savant mélange de... Football et de Rugby. Les règles, la tactique, les grandes compétitions, les champions, l'équipement, le vocabulaire, n'auront bientôt plus de secret pour vous.

Ainsi vous apprécierez réellement le spectacle, et qui sait si, bientôt, l'envie de jouer ne deviendra pas irrésistible ?

George Eddy

George Eddy

TABLE DES MATIERES

IL ETAIT UNE FOIS ...

C'est le Samedi 6 Novembre 1869, dans le New Jersey qu'une première ébauche du football Américain se déssine. En effet un match oppose les Universités de Princeton et Rutgers. L'enjeu de cette rencontre est le gain d'un camion de la guerre civile. De chaque coté 25 joueurs se font face et se disputent la balle au pied et à la main.

L'histoire du football américain est une lente marche en avant pour devenir le sport numéro 1 aux Etats-Unis. Les années 60 sont le tournant décisif, au moment où les deux ligues concurrentes, la NFL (National Football League) et l'AFL (American Football League) fusionnent sous le seul nom de NFL. La télévision, en plus, s'est emparée définitivement du football pour en faire un spectacle total. Alors que le jeu au sol, plus ou moins comparable au rugby, dominait jusque là, la passe haute se développe à cette époque et rend le football américain plus attrayant.

Bien plus tard, il s'attaque timidement à l'Europe et à la France, où l'on commença à jouer dans les casernes américaines installées sur notre territoire après la Seconde Guerre mondiale.

Le foot américain, c'est une grande fête depuis toujours. Ici, un supporter des New York Giants.

IL ETAIT UNE FOIS

**Voici
quelques dates repères :**

1892 : lors du match Alle-gheny-Pittsburgh, un joueur touche de l'argent pour jouer. C'est la première trace du pro-fessionnalisme.

1920 : les treize meilleures équipes du pays créent la pre-mière ligue de football.

1922 : cette ligue est rebapti-sée National Football League (NFL), qui régit toujours le jeu aujourd'hui.

1967 : le premier "Super-Bowl", la finale du championnat nord-américain, est disputé.

1980 : le Spartacus de Paris, première équipe française de football américain, voit le jour.

1982 : le "Casque d'or", pre-mier titre officiel décerné en France, est remporté par le Spartacus de Paris.

1983 : création de la Fédé-ration française de football américain (FFFA).

1989 : création de la World League of American Football (WLAF).

1991 : Dragons de Barcelone-Knights de New York est le premier match interplanétaire officiel.

Certaines équipes ou certains joueurs ont bien sûr marqué l'histoire du football américain. Un musée y est consacré aux Etats-Unis : le Football Hall of Fame à Canton (Ohio). Tout y est raconté : le formidable coup de pied de 63 yards envoyé par Tom Dempsey, pourtant à moitié amputé ! ainsi que l'histoire de M. Walter Camp (joueur de Harvad en 1876) qui est le père fondateur du football Américain.

Chaque année, c'est le rendez-vous à ne pas manquer : le Super Bowl (ici en 1988).

IL ETAIT UNE FOIS...

Aucune équipe ou aucun joueur européens n'ont pour le moment atteint la réputation de leurs rivaux américains. Ils sont très très loin d'avoir leur niveau... Un Français a tenté l'aventure, Richard Tardits, comme stagiaire aux Phoenix Cardinals !

Le Giants Stadium,
le stade
de l'équipe de New York.

SUR LE TERRAIN

Le principe du football américain est d'une extrême simplicité : c'est un jeu de gagne-terrain entre deux équipes de onze joueurs. L'équipe d'attaque cherche à porter le ballon jusqu'à l'en-but adverse, l'équipe de défense tente de l'en empêcher ! Lorsque la balle change de camp, les rôles sont inversés. Cela posé, les détails sont un peu plus complexes !

Précisons qu'aux Etats-Unis, les règles du football professionnel et du football universitaire diffèrent légèrement. En France, les compétitions organisées par la Fédération française sont régies par les règles universitaires.

LE TERRAIN DE JEU

Le terrain de football américain est un rectangle de 120 yards (soit environ 110 m) sur 53,3 yards (soit environ 49 m). La légende veut que cette largeur a été retenue et homologuée parce qu'elle correspondait à la largeur maximale du stade de l'université de Harvard !

La longueur effective du terrain est de 100 yards. Les 20 yards restant correspondent aux deux zones d'en-but, qui mesurent chacune 10 yards. Au fond de ces deux end-zones se dressent les poteaux, à la manière du rugby. Les deux barres sont séparées de 7,12 m et la barre horizontale se trouve à 3,05 m du sol.

Des lignes perpendiculaires aux lignes de touche sont tracées tous les 5 yards. Elles permettent de se repérer facilement sur le champ de jeu. Des pointillés sont aussi dessinés dans le sens de la longueur, sur deux lignes séparées de 5,68 m. Appelés hashmarks, ils servent à placer le ballon sur chaque remise en jeu.

SUR LE TERRAIN

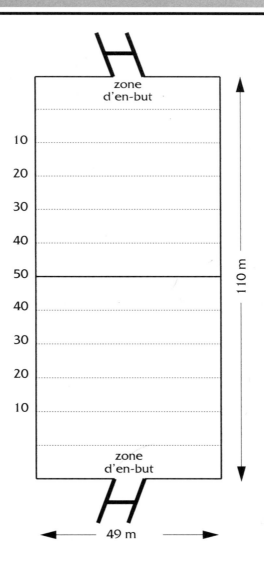

zone
d'en-but

10
20
30
40
50
40
30
20
10

zone
d'en-but

110 m

49 m

Un terrain de football américain.

SUR LE TERRAIN

LES ÉQUIPES

Chaque équipe est composée de deux formations : offensive et défensive. Il est très rare qu'un attaquant se transforme en défenseur, même si le règlement le permet. Onze joueurs sont présents sur le terrain et les remplacements peuvent se produire sans arrêt. En National Football League, chaque équipe peut inscrire jusqu'à 45 joueurs sur la feuille de match. Les numéros de maillot sont déterminés à l'avance en fontion du rôle sur le terrain.

1 à 19 :	quarterbacks et botteurs.
20 à 49 :	running-backs et defensive-backs.
50 à 59 :	centres et line-backers.
60 à 79 :	offensive-linemen.
80 à 89 :	receveurs et tight-ends.
90 à 99 :	defensive-linemen

LA DURÉE DE JEU

Un match est divisé en quatre quart-temps de quinze minutes en NFL et de douze minutes en compétition universitaire. Une mi-temps vaut deux quart-temps et les joueurs ont droit à douze minutes (NFL) ou quinze minutes (universitaire) de repos entre les deux mi-temps, où trois temps morts peuvent aussi être accordés.

Le temps de jeu est effectif. Le chronomètre est arrêté à chaque interruption du jeu, ce qui allonge considérablement la durée d'un match.

Les équipes changent de camp à la fin des premier et troisième quart-temps.

SUR LE TERRAIN

Joe Montana en discussion avec son entraîneur.
La mise au point des combinaisons tactiques allonge la duré de jeu.

SUR LE TERRAIN

LA MARQUE

Les points sont attribués un peu comme au rugby. Un touchdown, l'essai, vaut 6 points. Il peut être marqué de deux façons : soit le joueur en possession du ballon pénètre dans l'en-but adverse, soit un attaquant déjà dans l'en-but reçoit une passe. Le touchdown est accordé quand les deux pieds sont posés dans l'en-but. La transformation de l'essai vaut 2 points quand elle est effectuée à la main, 1 point au pied.

L'équipe qui attaque peut aussi marquer sur un coup de pied au but. Si le ballon passe entre les poteaux, le field-goal vaut 3 points.

Troisième cas de figure où la marque peut évoluer : le safety. En l'occurrence, les points vont à l'équipe qui défend, lorsqu'un de ses éléments plaque le porteur du ballon dans son propre en-but. Elle empoche alors 2 points.

LES ARBITRES

Dans le championnat de la NFL, sept arbitres sont présents en même temps sur le terrain. Ils y sont parfaitement répartis : trois sur les côtés, trois derrière la défense et un derrière l'attaque. Pour signaler une faute, l'arbitre doit jeter un mouchoir jaune qu'on appelle flag.

L'arbitre principal est celui situé derrière l'attaque. Il dispose d'un micro HF, qui lui permet d'expliquer les fautes au public. Le football américain est d'abord un spectacle et l'arbitre est également un des acteurs de la pièce !

Lorsqu'elle commet une infraction, une équipe est généralement sanctionnée en reculant sur le terrain. Selon l'importance de la faute, elle peut reculer de 5, 10 ou 15 yards.

SUR LE TERRAIN

*Il y a sept arbitres au total
sur le terrain.*

A TOI DE JOUER

LES JOUEURS

Avant de découvrir les multiples options de jeu du football américain, il est indispensable de se familiariser avec les postes de chaque joueur. Contrairement au football ou au rugby où le demi de mêlée peut se faire attaquant et défenseur, les fonctions sont hermétiquement divisées dans le foot américain. Il y a onze attaquants, avec des postes spécifiques, contre onze défenseurs dont les rôles sont tout autant bien définis.

Les postes d'attaque

LE CENTRE

C'est lui qui engage.
A chaque début d'action, il transmet le ballon au quarterback en le passant entre ses jambes. Ensuite, avec l'aide des tackles et des guards, il tente de contenir la charge des défenseurs adverses.
But : donner du temps au quarterback de préparer son coup ou ouvrir des couloirs pour les running-backs.

LES GUARDS

Ils sont deux : droit et gauche.
Ils protègent le quarterback.
Puissants et rapides, ils protègent aussi les débordements
sur les ailes du running-back.

B

LES TACKLES

Ils sont deux également, à droite et à gauche.
Ce sont les bloqueurs extérieurs.
Plus que les autres, les tackles ont le devoir de protéger le quarter-
back des defensive-ends adverses.
Ils ne peuvent recevoir de passes, comme le centre.

A TOI DE JOUER

A

LE QUARTERBACK

C'est l'homme clé de l'attaque, comme le demi de mêlée en rugby et, à un degré moindre, le meneur de jeu en football.

Il reçoit la balle du receveur et dirige le déroulement de l'action. La tactique qu'il va appliquer, a été choisie à l'avance.

Il peut lancer le ballon à un receveur, le donner à un running-back ou tenter lui-même la percée. Les stars du football américain sont généralement des quarterbacks.

LE TIGHT-END

C'est un joueur polyvalent.

Il est souvent grand et lourd.

Il peut participer au jeu d'avants en bloquant au sol ses adversaires et ouvrir ainsi des brèches pour les running-backs.

Ou il peut se convertir en wide-receiver et attraper la passe du quarterback.

A TOI DE JOUER

LES RUNNING-BACKS

Ils sont deux, eux aussi, et ils cherchent à transpercer la ligne défensive adverse.

Ces coureurs partent ballon en mains, transmis au préalable par le quarterback, et foncent droit devant ou sur les ailes en débordement. On distingue le fullback et le halfback.

Le premier, plus puissant, se jettera dans la défense.

Il servira aussi de bloqueur supplémentaire pour le half-back, en principe plus léger.

LES WIDE-RECEIVERS

Au nombre de deux, un droit et un gauche, les wide-receivers sont les joueurs les plus rapides de l'attaque.

A l'engagement par le centre, ils courent vers l'avant et essaient de se démarquer.

Ils attendent la passe du quarterback.

Les postes de défense

LE NOSE-TACKLE

Posté au centre du terrain, cet homme de ligne empêche les hommes de ligne adverses de créer des brèches.
Son rôle consiste donc à empêcher les passages en force.

La défense est une affaire de "gros bras".

LES DEFENSIVE-ENDS

A droite et à gauche, ils vont d'abord tenter d'arrêter les débordements adverses. Mais surtout, grâce à leur puissance et à leur agilité, ils essaient de percer la ligne offensive pour plaquer - on dit "sacker" - le quarterback.

A TOI DE JOUER

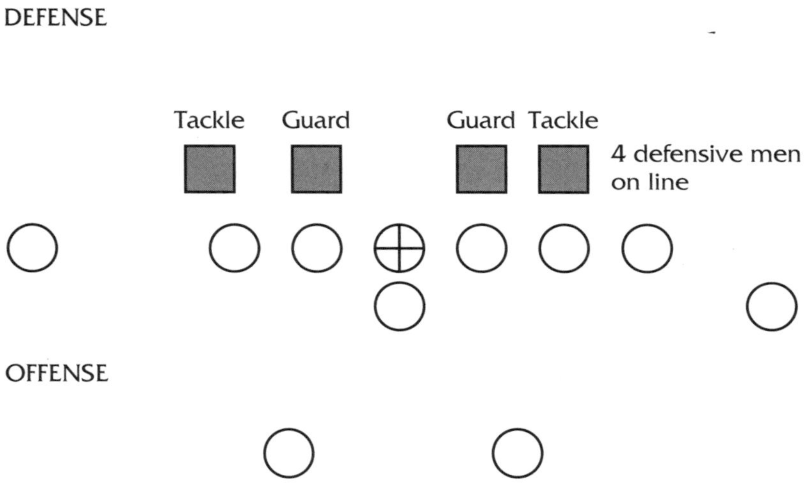

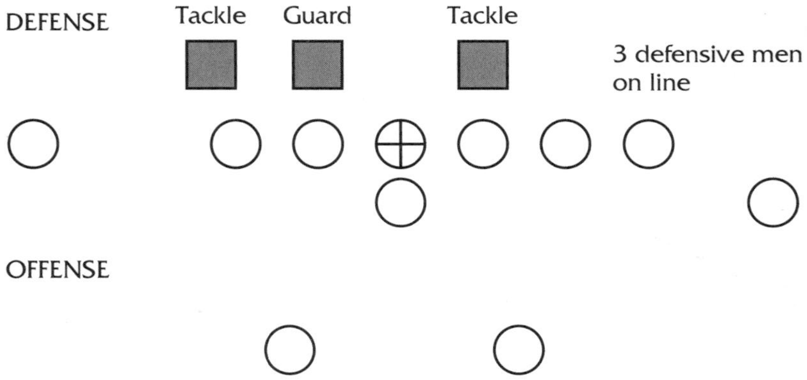

DEFENSE

	Tackle	Guard		Guard	Tackle	

4 defensive men on line

OFFENSE

- -

DEFENSE

	Tackle	Guard		Tackle	

3 defensive men on line

OFFENSE

A TOI DE JOUER

LES INSIDE-LINEBACKERS

Ce sont les deux joueurs essentiels de la défense.
Ils interviennent partout sur le terrain.
Ils colmatent les trous provoqués par les hommes de ligne adverses, qui veulent ouvrir une voie à leurs running-backs.
Ils peuvent aussi s'occuper des passes du quarterback et reculer dans la défense pour les intercepter.

LES OUTSIDE-LINEBACKERS

Cette paire-là est chargée de surveiller les ailes en tentant d'empêcher le débordement du running-back par le placage.
Ils peuvent aussi intercepter la passe du quarterback au wide-receiver ou au tight-end.
Ils peuvent encore foncer vers le quarterback pour le sacker.

A TOI DE JOUER

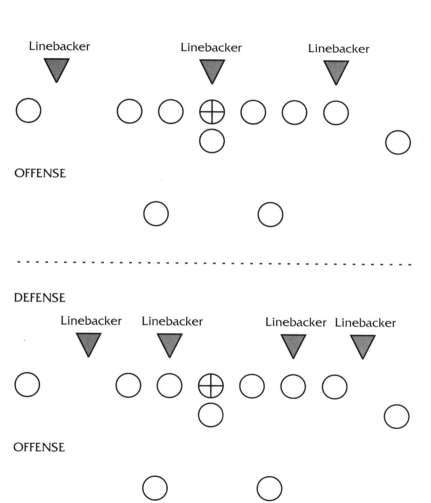

DEFENSE

Linebacker   Linebacker   Linebacker

OFFENSE

DEFENSE

Linebacker   Linebacker   Linebacker   Linebacker

OFFENSE

A TOI DE JOUER

LES CORNERBACKS

Ce sont les deux joueurs les plus rapides de la défense.
Ils défendent sur le running-back pendant son débordement et sur le wide-receiver au moment de la passe. Soit ils l'interceptent, soit ils plaquent le wide-receiver quand il a reçu la balle.

LE STRONG-SAFETY

Il vient près du tight-end et le marque quand celui-ci attend une passe du quarterback.
Il guette son démarquage et y répond pour éviter la passe. Particularité : la puissance du strong-safety lui laisse la possibilité de servir de linebacker supplémentaire dans le jeu au sol.

LE FREE-SAFETY

Son rôle serait comparable à celui d'un arrière au rugby ou d'un libéro au football. C'est l'ultime défenseur sans fonction particulière.
Simplement, il ne doit laisser personne entre lui et son en-but.

Il sert de renfort aux cornerbacks dans la couverture aérienne. Avec le strong-safety et les deux cornerbacks, il forme ce qu'on appelle le backfield défensif.

A TOI DE JOUER

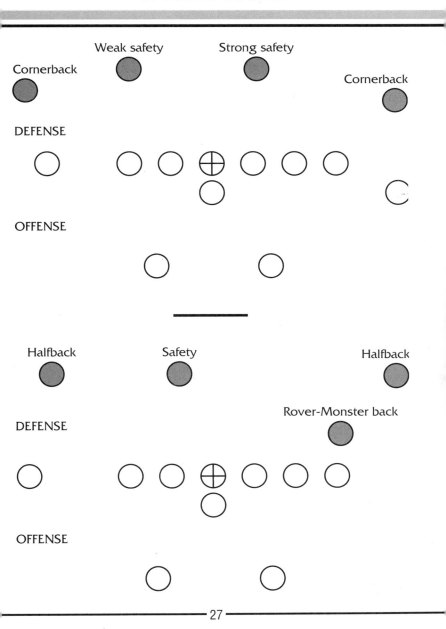

Weak safety

Strong safety

Cornerback

Cornerback

DEFENSE

OFFENSE

Halfback

Safety

Halfback

Rover-Monster back

DEFENSE

OFFENSE

A TOI DE JOUER

LE JEU

Le football américain peut être une science extrêmement savante surtout lorsqu'il est pratiqué par les pros de la NFL! Des tas de livres ont été écrits sur les options tactiques à l'infini qu'il recèle et il faut s'appeler Joe Montana ou John Elway pour les mettre en pratique ! On l'a dit, le football américain oppose deux équipes de onze joueurs chacune. L'une attaque, l'autre défend. C'est systématique et, quand la balle change de camp, les équipes tournent également. Pour résumer, le jeu tourne autour de trois éléments essentiels : la progression, le quarterback, les blocages.

A TOI DE JOUER

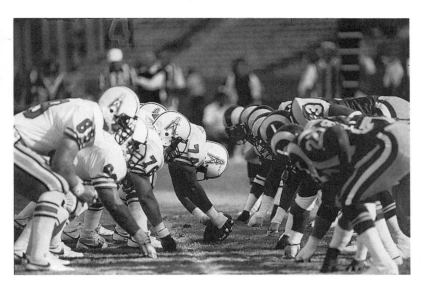

*Les deux équipes
au moment du coup d'envoi.*

A TOI DE JOUER

LA PROGRESSION

Pour l'équipe attaquante, en possession de la balle, le premier objectif est en effet de progresser vers l'en-but pour, peut-être, inscrire un touchdown.

La progression se fait à coups de contrats de 10 yards.
Explication : l'attaque a droit à quatre tentatives (des downs) pour parcourir 10 yards. Si elle y parvient, elle obtient ce qu'on appelle un first-down, c'est-à-dire en fait l'opportunité d'avancer encore de 10 yards en quatre nouvelles tentatives. Si elle réussit encore, elle peut progresser de 10 yards supplémentaires... Et ainsi de suite jusqu'à l'en-but.

La progression se fait lentement.

En cas d'échec dans ses tentatives de progression, l'équipe
attaquante doit rendre la balle
au point d'arrêt de la progression. L'équipe de défense fait
alors entrer son attaque et le
jeu s'inverse.

Les marques sur le terrain indiquent facilement la progression.

A TOI DE JOUER

En cours de progression, si l'équipe attaquante n'est pas en mesure de remplir son contrat de 10 yards, elle peut tenter le field goal, le coup de pied à trois points, si elle est proche de l'en-but adverse, ou dégager la balle pour l'éloigner au maximum de son propre en-but puisque la balle reviendra à l'adversaire.

"Denver Broncos" contre les L.A. Rams

La finale du Casque d'Or 1991 "Castors" contre "Argonautes"

Les "L.A. Raiders"

Jo Montana à la finale du Super Bowl 1989

Billy Raysmith

Super Bowl

A TOI DE JOUER

LE QUARTERBACK

C'est lui qui a la maîtrise totale de la tactique de jeu. En concertation avec l'entraîneur, il décide d'une combinaison, qui est communiquée à tous les joueurs lors du huddle, le regroupement de vingt-cinq secondes accordé avant chaque tentative.

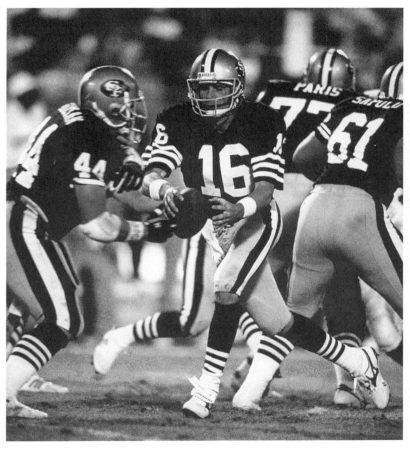

Joe Montana, glisse la balle à son receveur.

Le quarterback a deux options principales : le jeu au sol ou le jeu aérien. En résumé : soit il utilise un coureur - le running-back placé derrière lui - au quel il transmet la balle et celui-ci charge dans le rideau défensif adverse, plein centre ou en débordement sur les ailes ; soit il utilise la passe aérienne qui va arriver dans les mains d'un de ses receveurs.

Dans les deux cas de figure, l'étape de progression est fixée à l'endroit du plaquage de l'attaquant en possession de la balle. Précision : une seule passe en avant est autorisée par phase de jeu.

John Elway, des Denver Broncos, fait une passe aérienne.

A TOI DE JOUER

Quand il choisit l'option du jeu aérien, le quarterback se protège derrière ses hommes de ligne : le centre, les deux guards et les deux tackles. Trois joueurs sont à sa disposition pour recevoir sa passe : les deux wide-receivers et le tight-end.

Les wide receivers vont tenter de se démarquer des cornerbacks, qui défendent sur eux, pour aller chercher la passe du quarterback. Le tight-end, lui, est un joueur polyvalent, on l'a vu. Il a une marge de manœuvre importante. S'il ne participe pas au jeu d'avants, il va se déplacer pour jouer les receveurs.

Le jeu aérien est beaucoup plus prisé par le public que le jeu au sol. Il est bien sûr plus spectaculaire. La légende de certains matches s'est souvent faite à coup de très longues passes, comme celles qu'on nomme les "bombes", qui peuvent atteindre plus de cinquante mètres.

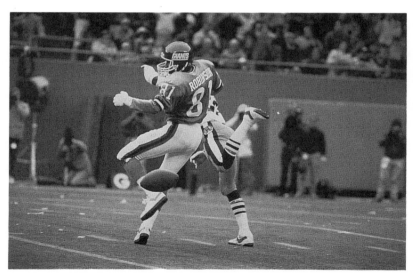

Le receveur (n° 81)
tente d'attraper la passe de son quarterback.

A TOI DE JOUER

LES BLOCAGES

Contrairement au rugby où seul le porteur du ballon peut être plaqué ou retenu, tout joueur de football américain peut agir contre un adversaire. C'est une des caractéristiques essentielles du jeu, une de celles qui en font sa particularité.

Les hommes de ligne de l'attaque ont ainsi le droit de bloquer leurs adversaires pour protéger l'action du porteur du ballon. Le règlement les oblige toutefois à n'utiliser que leurs avant-bras pour réaliser leurs blocages.

Les blocages des hommes de ligne d'attaque
se font obligatoirement avec les avant-bras.

A TOI DE JOUER

Attention, ils ne peuvent plaquer ou retenir un joueur adverse. En revanche, les défenseurs ont la possibilté de se servir de leurs mains pour se libérer des blocks.

Dans le jeu de blocage, le centre et les guards se chargent de bloquer au centre, même si ces derniers se déplacent parfois sur les ailes pour protéger une tentative de débordement. Les tackles s'occupent des extérieurs et tiennent une place très importante dans la protection du quarterback. C'est à eux, en effet, que revient le travail d'empêcher le plaquage du quarterback par les defensive-ends et les out-side-linebackers.

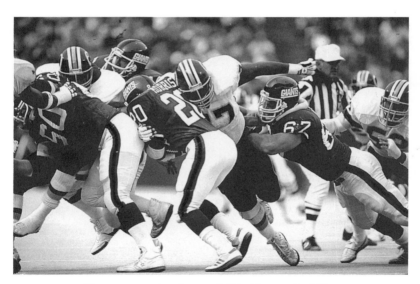

Blocages pendant le match Washington Redskins contre New York Giants.

LES GRANDES COMPÉTITIONS

Une évidence doit être répétée en ce qui concerne les grandes compétitions du football américain : il y a les Etats-Unis et rien d'autre. Le championnat de la National Football League regroupe 28 équipes, divisées en deux conférences de 14 équipes, qui sont les restes de la concurrence NFL-AFL du début des années 60. Ces deux conférences s'appellent NFC (National Football Conference) et AFC (American Football Conference). A l'intérieur de chaque conférence, trois divisions de 4 ou 5 équipes : Est, Centrale et Ouest. Le championnat se déroule en deux parties : la saison régulière et les phases finales ou play-offs. Avant l'apothéose du Super Bowl.

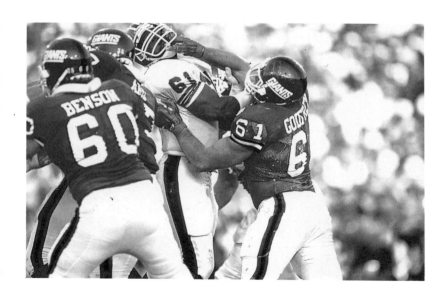

La finale 91 du Super Bowl : New York Giants - Denver Broncos.

LES GRANDES COMPETITIONS

LA SAISON RÉGULIERE

Elle se dispute sur dix-sept semaines et comprend 16 matches selon un système un peu complexe. Chaque club doit affronter toutes les formations de sa division en matches aller et retour (soit 6 ou 8 matches). Puis, selon qu'il appartienne à une poule de 4 ou 5, il dispute 4 ou 6 matches contre des équipes de la même conférence. Enfin, il rencontre 4 équipes de l'autre conférence. Le calendrier de chaque club est revu en fonction du classement obtenu lors du championnat précédent, afin d'équilibrer les affrontements.

LES PLAY-OFFS

A la fin de la saison régulière, 12 clubs, 6 par conférence, sont qualifiées pour les play-offs. Ce sont les champions de chacune des divisions (soit 6), plus les 3meilleurs classements de chaque conférénce (soit 6). Dans chaque conférénce, les 6 qualifiés s'affrontent sur 3 tours à élimination directe dont l'ultime est la finale de conférence.

Le Super Bowl, le grand rendez-vous annuel.

LES GRANDES COMPETITIONS

LE SUPER BOWL

C'est la méga fête du football américain mais c'est surtout le jour d'honneur pour le vainqueur. Le Super Bowl oppose les deux champions de conférence pour désigner logiquement le champion NFL de l'année. Disputé pour la première fois en 1967 et remporté à l'époque par les Packers de Green Bay, il se joue traditionnellement le dernier dimanche de janvier.

Les conditions climatiques font donc qu'il a lieu en général au sud des Etats-Unis. En 25 ans, il s'est déroulé huit fois en Floride, huit fois en Californie, sept fois en Lousiane et une fois au Texas. Exception, avec l'année 82, l'édition 92 s'est déroulée au Metrodome de Minneapolis, chauffé pour l'occasion !

Cette rencontre, qui est aussi une grande foire, est suivie par toute l'Amérique. La télévision bat alors tous les records d'audience. Les trois derniers champions sont les 49 premiers de San Francisco en 1990, les New York Giants en 1991 et les Washington Redskins en 1992.

Les Pom Pom Girls, indispensables au Super Bowl !

LES GRANDES COMPETITIONS

Dans leur désir de conquête de l'Europe, où existe déjà un championnat d'Europe des nations, les patrons de la NFL ont monté la World League of American Football (WLAF). Dix équipes de cinq pays (Etats-Unis, Canada, Grande-Bretagne, Angleterre et Espagne) se rencontrent depuis le printemps 91 dans un mini-championnat. L'aménagement de certains points du règlement, pour rendre le jeu plus spectaculaire encore, ne suffit pas à assurer le succès de cette formule.

En France, le Casque d'or, finale du championnat de première division, couronne chaque année le meilleur club. La Fédération française a recensé 80 clubs en 1992. Le premier Casque d'or a été remporté par les Spartacus de Paris en 1982. Le dernier a été gagné par les Argonautes d'Aix-en-Provence.

La finale du Casque d'Or 91 :
Castors-Argonautes.

SALUT LES CHAMPIONS !

JOE MONTANA

C'est la star du football américain. Celui qui a battu tous les
records. On lui promet le titre
honorifique de meilleur joueur
de tous les temps. Bien sûr, il
est quarterback, le poste qui
fait les stars, comme on dirait
que le numéro 10 a fait Pelé,
Platini ou Maradona. Grâce à
lui, les 49 premiers de San
Francisco ont dominé les
années 80 et remporté quatre
Super Bowls en 1982, 85, 89
et 90.

Joe Montana est né à Monon-
gahela, à quelques kilomètres
de Pittsburgh en Pennsylvanie.
C'est la terre des quarterbacks :
avant lui, les illustres Dan
Marino ou Terry Bradshaw, les
idoles de Montana, sont nés
dans cette région. Il commence
à 8 ans chez les Little Wildcats,
poussé par son père qui triche
sur l'âge du gamin !

Dans sa jeunesse, Montana a
goûté à beaucoup de sports. Il
a longtemps hésité entre le
football, le basket et le base-
ball. A 18 ans, lorsqu'il arrive à
l'université de Notre-Dame,
d'où sont sortis des dizaines de
champions, son choix est fait

évidemment. Les débuts
seront difficiles mais peu à peu,
il se taille une réputation de
génie.

En 1979, les 49 premiers de
San Francisco draftent (sélec-
tionnent) Montana, au
troisième tour seulement.

81 joueurs ont été retenus
avant lui ! Ce qui ne l'empê-
chera pas de faire de son équipe
la meilleure des années 80.
Blessé la saison dernière, Joe
Montana marque le pas mais
toute l'Amérique attend son
retour.

SALUT LES CHAMPIONS !

SALUT LES CHAMPIONS !

JOHN ELWAY

John Elway est-il un vrai champion ? Oui. Avec Joe Montana et Dan Marino, des Miami Dolphins, c'est Le quarterback des années 80. Même s'il n'a jamais rien gagné... John Elway est un champion attachant. En 87, 88 et 90, il a emmené son club, les Denver Broncos, jusqu'au Super Bowl. Et trois fois, il a perdu. Alors si quelques-uns de ses fans ont crié à la honte, sa cote de popularité reste intacte.

Elway est un enfant du foot américain. Son père, Jack, était un célèbre coach. Il lui a appris le jeu et d'abord, il lui a donné des épaules de déménageur. Son bras est aussi considéré comme l'un des plus puissants de la NFL.

Elway découvre ses qualités de passeur à la Granada High School de Los Angeles. Il file ensuite à l'université de Stanford où les recruteurs le repèrent. En 1983, il est premier au draft et c'est Baltimore qui l'embauche mais le cède immédiatement aux Denver Broncos. Elway ne voulait pas jouer sous le climat austère de l'Est américain !

Après quelques saisons difficiles, il s'impose comme le passeur de la NFL. En 87, il est élu Most Valuable Player (MVP), le meilleur joueur de l'année. Mais l'essentiel manque : le Super Bowl. Elway promet : "Je vais y retourner ! Je veux avoir autant d'occasions que je peux de gagner le Super Bowl !"

SALUT LES CHAMPIONS !

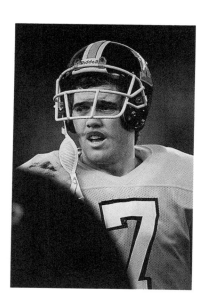

SALUT LES CHAMPIONS !

BARRY SANDERS

Voilà le plus beau talent produit par la National Football League depuis une dizaine d'années. Le running-back des Detroit Lions est un coureur d'exception, qui préfère la finesse et l'esquive à la force brutale. Il accélère, évite l'adversaire de manière magistrale quand les autres foncent droit devant. A tel point qu'on l'a soupçonné d'enduire son maillot de graisse pour glisser aussi bien entre les mains des défenseurs.

Barry Sanders mesure 1,72 m et pèse 92 kg ! Autant dire qu'il est presque plus large que haut ! Ses cuisses, notamment, incroyablement épaisses. Barry a fréquenté l'université d'Oklahoma State, où il a remporté le Heisman Trophy qui désigne le meilleur joueur universitaire de l'année. Il en est sorti en 1988 pour signer chez les Detroit Lions.

Dès sa première année chez les pros, il fait merveille. On lui décerne le prix de meilleur rookie (débutant) de l'année. Il est sélectionné dans toutes les meilleures équipes de la League. La saison suivante, il devient carrément le meilleur coureur de la NFL ! En deux ans, son ascension est irréelle mais il ne s'arrête pas là.

En 1991, il totalise le bilan de 1 548 yards gagnés par la course. Contre les Vikings, il réussit l'exploit : 220 yards pour quatre touchdowns ! Et sans faire de dégâts !

SALUT LES CHAMPIONS !

TON EQUIPEMENT

L'équipement est une composante essentielle du football américain. Rien à voir avec le soccer ou le tennis par exemple. Là, il est indispensable et même rendu obligatoire par les règlements.

Une particularité, le matériel est adapté aux positions des joueurs sur le terrain, à leurs fonctions. Il n'y a pas d'équipement standard. Exemple : un homme de ligne, très soumis aux contacts, ne portera pas les mêmes épaulières qu'un receveur. Cette diversité est une garantie de sécurité.

Un équipement de qualité coûte environ de 3 500 à 4 000 francs.

TON EQUIPEMENT

LES ÉPAULIÈRES

C'est l'élément de base d'un équipement de footballeur. Sa protection principale. Il y en a donc pour les quarterbacks, les running-backs, les receveurs... Il existe aussi des modèles polyvalents, pour running-backs avec option quarterback !

Toutes les physiologies peuvent trouver l'épaulière adéquate. Depuis une dizaine d'années, les médecins se sont penchés sur l'équipement du footballeur afin de déterminer le meilleur possible. De ces recherches découle la mise au point de systèmes haute sécurité : à transmission de force, à absorption de choc...

Prix : de 580 jusqu'à 4 000 francs pour les plus perfectionnées.

LE CASQUE

La marque Riddell, seule agréée par la NFL, a inventé le système "Thru Curve". Le casque est totalement rond, ce qui chasse le contact et met la tête complètement à l'abri. Pochettes d'huile à l'intérieur pour amortir, mini-pompes sur les côtés qui le gonfle pour l'adapter à la tête du joueur, le casque a aussi bénéficié d'un tas d'innovations techniques, qui sont autant de sécurité en plus.

Prix : 1 369 francs.

Le casque.

LA GRILLE

La grille du casque est également adaptée à la fonction du joueur.

Exemple : un receveur, qui a besoin de beaucoup de vision, utilisera une grille courte et ouverte.

Un homme de ligne, qui recherche davantage sa protection, du menton, en prendra une longue et fermée.

Il y a au total quatre groupes de grille.

Prix : de 120 à 220 francs.

LE PROTÈGE-DENTS

Il n'est pas obligatoire en NFL. Il l'est en NCAA, la compétition universitaire. Comme c'est ce dernier règlement qui est appliqué en France, vous devrez en porter un.

Prix : 19 francs.

LE PANTALON

Il contient des poches intérieures pour glisser les protections des cuisses et des genoux.

Prix : à partir de 199 francs.

La grille du casque, courte ou longue selon le poste.

LE MAILLOT

Aux couleurs de votre club ou de celles des meilleures équipes américaines, il est aussi indispensable.

Prix : à partir de 99 francs.

PROTECTIONS

Il en existe trois sortes.
Cuisses. 100 francs.
Genoux. 60 francs.
Hanches et coxis. 250 francs.
-

LES GANTS

Ils ne sont pas obligatoires mais assurent une protection des mains, particulièrement pour les hommes de ligne. D'autres gants, qui adhèrent à la balle, sont aussi utilisés par les receveurs.

Prix : de 250 à 600 francs.

Les chaussures

C'est l'autre élément de l'équipement non imposé par les règlements. On peut jouer avec une bonne paire de tennis. Il existe néanmoins des chaussures spécial football américain, de deux types,

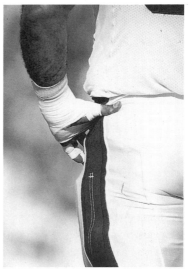

Les protections cuisse.

hautes ou basses. Elles possèdent une particularité : les crampons sont en bout de semelle, à la manière des pointes pour l'athlétisme. Parce que le football américain est un sport d'impulsion, de démarrage. Les crampons, moulés ou vissés, sont semblables à ceux des chaussures de soccer.

Prix : de 459 à 539 francs.

TON EQUIPEMENT

LE BALLON

Si vous êtes tenté d'échanger quelques balles amicales entre copains, sachez qu'il y a quatre types de ballon : mousse, vinyl, caoutchouc et cuir.

Prix : de 59 à 819 francs, l'officiel NFL.

"Kick-off",
le spécialiste du football américain,
possède trois magasins en France.
Vous pouvez demander le catalogue
et commander.
PARIS : 16, avenue Claude-Vellefaux, 75010 Paris.
Tél. : (1) 42 41 92 02.
GRENOBLE : 10, boulevard Gambetta, 38000 Grenoble.
Tél. : 76 87 73 09.
MARSEILLE : 4 bis, rue du jeune Anacharsis,
13001 Marseille. Tél : 91 55 52 60

Le ballon NFL.

PARLONS FOOT AMERICAIN !

Plus que tous les autres sports, le football américain est forcément rempli de mots très compliqués pour un Français. Voici un lexique récapitulatif, non exhaustif, des termes à connaître.

Defense

Le mot désigne l'équipe qui n'a pas le ballon et qui, par conséquent, doit défendre.

Down

C'est la phase de jeu de l'équipe qui possède le ballon. Elle doit progresser de 10 yards en quatre downs.

End-zone

Zone des 10 yards (environ 9,15 m) située à chaque extrémité du terrain.

Field-goal

Coup de pied qui passe entre les poteaux, à la manière d'un drop au rugby. Il vaut trois points.

Fumble

Mot qui désigne l'action d'un joueur qui perd le ballon.

Holding

C'est l'action de retenir un joueur avec les mains. Elle est considérée comme une faute.

Huddle

Rassemblement des joueurs autour de leur capitaine. Il dure vingt-cinq secondes et permet de recevoir les instructions de l'action suivante.

PARLONS FOOT AMERICAIN !

Kick-off

Coup d'envoi effectué au début de chaque mi-temps et après chaque touchdown.

Offense

Le mot désigne l'équipe qui possède le ballon et qui doit le garder en progressant vers l'en-but adverse pour marquer un touchdown.

Safety

On dit qu'il y a safety lorsque le porteur du ballon se fait plaquer dans sa propre end-zone. Il vaut deux points.

Time-out

C'est l'arrêt de jeu demandé à l'arbitre par une équipe. Chaque équipe a droit à trois time-out de 1 mn 30 pendant chaque mi-temps.

Touchdown

Signifie l'essai, accordé par l'arbitre lorsqu'un joueur en possession du ballon franchit la ligne de but, la goal-line, adverse.

Yard-lines

Ce sont les lignes continues tracées tous les 5 yards sur le terrain et qui donnent cet aspect particulier de rectangle quadrillé au terrain de football américain.

DERNIERS CONSEILS

Il est possible de jouer en France à partir de 16 ans, dans les équipes juniors. A partir de 19 ans, vous passez en seniors. Pour les jeunes de 13 à 16 ans, il existe une version adoucie du foot américain, baptisée "Flag Football". Les principes restent les mêmes mais le plaquage est interdit.

Pour tout renseignement, la Fédération française de football américain (FFFA) est à votre disposition.

13bis, avenue du Général-Galliéni, 92000 Nanterre.
Tél. : 47 29 22 03.

Merci à Newsport pour sa collaboration.
Le mensuel des sports américains, en vente dans tous les kiosques, propose de larges pages consacrées au foot américain.